P9-BJR-618

1
2

万岁!!娶个小男人

MIZUTAMA CAFE 3 – VIVA!! TOSHISHITAKON
Text by HAISHI Kaori
Illustrations by NISHIKAWA Taku

Originally published in Japan by Kobunsha Co., Ltd., Tokyo.
Chinese (in simplified character only) translation rights:

arranged with Kobunsha Co., Ltd., Japan
through THE SAKAI AGENCY and
BEIJING INTERNATIONAL RIGHTS AGENCY CO., LTD.

万岁!!娶个小男人

[日] 叶石香／文　[日] 西川拓／绘　刘安彭／译

现代出版社

图字：01-2007-1542
图书在版编目(CIP)数据

万岁!!娶个小男人/(日)叶石香编文,(日)西川拓绘，刘安彭译.—北京：现代出版社，2007.4
ISBN 978-7-80188-638-5

Ⅰ.万… Ⅱ.①叶…②西…③刘… Ⅲ.漫画：连环画－作品－日本－现代 Ⅳ.J238.2

中国版本图书馆 CIP 数据核字(2007)第 024742 号

作者：(日)叶石香／文 (日)西川拓／绘
选题策划：百世文库·绘本馆
责任编辑：张晶
出版发行：现代出版社
地址：北京市安定门外安华里 504 号
邮政编码：100011
电话：(010)64267325 64245264(传真)
电子邮箱：xiandai@cnpitc.com.cn
印刷：北京朗翔印刷有限公司(北京大兴区黄村镇李村开发区 6 号，邮编：102600)
开本：787 × 1092 1/32
印张：4
版次：2007 年 6 月第 2 版 2007 年 6 月第 1 次印刷
书号：ISBN 978-7-80188-638-5
定价：20.00 元

序言

近几年，姐弟恋流行趋势渐长，如雨后春笋般的，大有“一发不可收拾”的趋势。其实与和自己年龄小的男人谈恋爱结婚并不是从最近才开始出现的，只是现在的姐弟恋的内涵与以往相比差别很大。过去，一些女性是把比自己年轻的男友当作“宠物”来包养，尤其是那些有钱的女性，嘴上说着“不错不错”，实际上，对年轻男性仅仅是出于喜爱罢了。现在，女性选择年轻男性，将对方作为共度人生的“配偶”相处的逐渐增多了。找比自己年轻的男性结婚，使更多的女性在能够继续坚持自己的事业的同时，保持了更自主自信的生活方式。

虽然这样说，但与比自己年轻的男性交往毕竟不是一般女性“轻车熟路”的事情。实际上，对我来说也是如此——所以，对有这种想法的女性的心情我是非常体谅的。正因如此，希望您认真阅读本书。等您掩卷时刻，说不定您也会想找个小男人了——谁知道呢？！

2005年4月　　叶石香

前男友A
浪荡公子

前男友B
酷缸

前男友C
好色之徒

结婚
八年

婚外情

狐朋狗友

编辑K

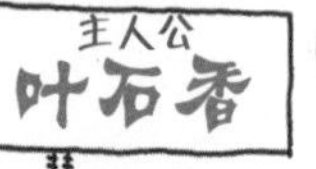

九州男儿
叶石爸爸

特别出演

目录

第1章 邂逅小男人

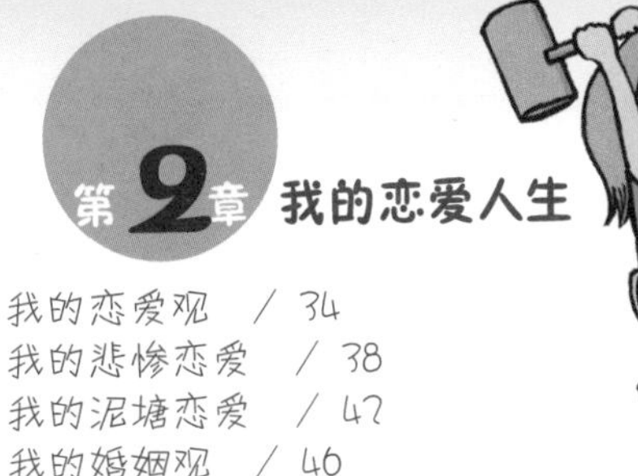

第2章 我的恋爱人生

第3章 与小男人和睦相处的秘诀

不要坐等
第一章
邂逅小男人

女光源氏①现身啦！

①注：日本文学名著《源氏物语》中的主人公，他把紫姬培养成贤德女子，并与其结婚。
②注：日本当代著名演员，曾与中国演员孙道临合作主演电影《一盘没有下完的棋》。

我的成长历程丰富多彩。
大3岁
大5岁
大10岁
大9岁
大1岁
同龄
大2岁
各种各样的优秀男人花团锦簇
当然，各阶段的男友都有一共同特点：
年龄都比我大。
之所以喜欢比我年长的男人的理由：
①有经济实力
②能够依赖他
③社会经验丰富
这就是我的理由……
实际上一交往起来……
根本不是那么一回事！！
碎
想不到他竟如此穷酸……
这个月有点拮据，咱们AA制吧？
哼！
开车也是笨手笨脚的。
笨蛋！
东拐西撞
~啊！后面碰上了！
当然，人无完人，凡人都会有缺点的，但我却顽固地认为：
“年长的男人十全十美”。
只要看出他一点缺陷……
唉……
好帅的大叔呢！
这时就原形毕露。
太无情了！
完全破灭
糟老头子！
伤心死了！！

受尽了多次与年长男友的恋爱幻灭的折磨之后，我忽然接到和我一样喜欢年长男的女友S打来的电话，听完后大吃一惊！
说什么！结婚?!
咔嚓!!
而且是和比你小三岁的男人?!
嗯？
咚咚
等一下……
年龄小的男人
也不坏呀……
可能
即使没什么钱……
现在是月末了，咱们只能吃汉堡包了！！
你请客吗？每小时工资才700日元！！
我好感动!!
开车虽然也不熟练……
怎么回事？
下面是该向左转弯了吗？
好好可爱呀！
不管怎样都能原谅。
虽然经济实力不强，也缺少社会经验，但他毕竟比我小，情有可原喽。
没错没错
总之……
我慢慢教育他就行了！教育他!!
能接受。
一锤定音
终于大彻大悟了。
值得自豪
谢谢你，S小姐!!
从此，平成年代的女光源氏诞生了……
小男人快点出来……
我会慢慢地培养你～～
很顺利，很随心……会这样吗？

曾经认为年长的男性很完美。实际上，仅仅是年龄大的话，一点儿也指不上的！

"他一定要比我年龄大！"

二十几岁的时候，我曾经严守着这个交友原则。不管怎样，只要他比我"年长"，我就对他充满憧憬。那就是我屡次恋爱失败的原因吧。我一直在想"年长的男人必然完美"，所以，对他们的一点点失败也不肯原谅。这样一来，和他们的交往自然也往往是命途多舛。

女性过了30岁，经济能力和思想都趋于稳定和成熟。于是会产生"从男人那里我会得到什么呢"这样的想法。于是，比起特意去找那些所谓事业有成的糟老头子，还不如去找那些比自己年轻的、更有发展前途的男人！他们虽然不成熟，也缺少社会经验，但我自己能为他补足。对，还是找一个自己中意的好男人吧！

嗯，这样不错！这可能是最有希望的培育小男人的计划吧！《源氏物语》中培养紫姬的光源氏可能也是这样做的。

爱神是那个同志店长

剩下的这些如果也称作男人的话……

真讨厌!

悄悄贴近

小辣妹~

也就是那些有恋母情结的垃圾罢了。

悄悄贴近

妈咪~

别靠近我!

好不容易碰上喜欢的，人家却早已娶妻生子了……

所以有很多不正当的男女关系出现了。

没有找到男朋友之前，
我一直是很努力的！
到处设下「圈套」。
布下天罗地网
神奇!! 蜘蛛女
对那些认真的朋友们拜托：
要是有比我小的好男人，请给我介绍！
好的，好的。
注：好的男人必定也会有很多好的男友!!
只要有人给介绍，
七点在涩谷见面对吧？
不顾一切拼命赶过去。
冲呀！
嗖
见面后如果感觉"不是自己喜欢的"，立刻编造理由脱身，再去见下一个。
对不起，我们下辈子再约会吧！
作为女人过了30岁就要"适当地交往"，因为没有时间可以再去浪费啦!!
……
真的就像传送带那样。
这个，不满意
下一个!!
精选小男人流水线!!
不良
这样做，一个男朋友也交不成。
呜，眼睛都看疼了……
促成我和老公的爱神丘比特是米琪店长
……
我把联系方式交给了米琪店长，由他转交给我未来的男朋友。
然而……
这里出现一个小问题……
实际上这个家伙在考虑着自己的事情。
？
就是说成了我的情敌!!
撕
联络方式

我们的好梦成真，
还多亏米琪的帮助。
只好
祝你们幸福
……
尽管如此，我
还是找到了我的
小男人。
作为感谢，我
给他发出了出
席婚礼的邀请
函。可是……
米琪
请您务必
前来参加
婚礼
叶石
他在结婚现场号啕大哭!!
怎么啦!!
真不错呀!
唠唠叨叨~
你俩好幸福呀
在结婚现场，比新郎新娘
还引人注目的米琪。
父母养育之恩
不能忘啊!
啪啪啪
朗读
给父母的
感谢词
…
接下来的
婚礼仪式
就失控了。
啊，我也
要结婚!
你这家伙
放开我呀!
接下来该
轮到我了!
在争抢新娘
的抛花时，
甚至出现了
不堪设想的
混乱场面。
一旁的父母也开始担心起来
乱糟糟
女儿，
你这个
老公不
要紧吧
?
我想应
该问题
不大吧?
糟乱糟
要想找个
好男人
就不能
干等着!
不管怎样，
一定要积极行动起来!!
现在是自己
主动出击寻找
白马王子的
时代了!!
叶石
为了寻找小男人，
今天就出发……
难道没有小男人吗?
秃头
一旦被
我发现，
立刻抓
住不放
!!
那你就是
诱拐犯了!!
!!
手住
你跑不了了

我一直坚信，
也许某个时候
白马王子就会出现在我面前。
然而，
出现在我面前的
却全是俗不可耐的家伙……

说起来好像有点不可思议，女人一到30岁，好男人就像突然蒸发了一样。即使说还有未婚的，能碰上的几率也像能遇到西表地区的山猫那样微乎其微。25岁以下的女人也许还没有感觉，但这真的就是事实。

那些慨叹"好男人怎么还找不到呢"的女人的共同点，就是有"守株待兔"的心态。我看大部分是这样的。现实生活可不是美丽的童话，白马王子不会梦幻般地出现在你面前的。被动的等待，只能等来皱纹悄悄爬上你的眼角。

现在，主动出击寻找好男人的时代已经到来。"白马王子的传说"该落幕了，从现在开始，"狩猎女神·阿耳忒弥斯的传说"将拉开帷幕！

要提醒大家，不要受狩猎场的限制。一般来说，只要你紧绷着神经，常常会在意想不到的地方有所斩获。我本人的经历就是个很好的例子。我和他初次约会，地点不是在很时髦的表参道广场或者西麻布料理店，而是在铁路边上的那个男"同志"开的小店里。

你能接受我吗？

激动得热泪盈眶！
喵喵~
谁能接受我？

那时的我刚刚和男友分手，结束了在世田谷那段令人回味的日子。
一天晚上，在朋友的盛情邀请下，我应约去了米琪经营的酒吧。
你好！！米琪
哎呦~好久不见了！
可是，当时酒吧里的人非常多……
扑通
我~~~摔倒了
嘶~
好~疼

顿时星光闪耀！
您不要紧吧？
通过交谈，我才知道他比我小6岁……
可……可是……
越看他越觉得是我喜欢的那种男人……
身材修长
皮肤白皙
皮肤光滑
眼睛有神
就像少女漫画中的
傻瓜
王子！
哈哈哈～
喂～叶石小姐
嗯？
您能
接受我吗？
您能接受我吗？
……
哇！！
您能接受我吗？
真对不起，她完全找不到东南西北了。
不行，不行！！
年纪轻，长得又这么帅！！
摇头
他一定是打算骗我的钱！！
典型的小白脸

只要这钱一到手……
立刻就把我甩掉！！
这是他的诡计！
眼泪汪汪
请～您～收下～我吧～
颤抖～
泪汪汪
叶石眼中的他是这样可怜兮兮的
这就是我的…………………
命运………
这不是很好吗！！
叶石香是个敢想敢干的女人
哇♪
咚！！
养了领！！
实际上我叶石——
已经捡了很多只流浪猫了。最多的时候有8只……
喵～
喵～
领养女魔王！！
为了让这些流浪猫住宽敞，我还买了一栋新猫舍呢！
喵～～♪
把他领回家来，实际上也没什么可担心的！
好好听话
这小家伙很认真的！
一说起小男人，马上会想到是撒娇耍赖、离不开女人照顾，或不负责任玩什么恋爱游戏……
妈妈，请给我零花钱
谁是你妈妈呀！
但实际上那样的毕竟少数。
不要带着偏见，还是先交往一下试试看吧！如果总是墨守陈规，什么也不可能顺利开始了！
捡来的东西，能带来福气呢
可能……

以前一直抱有看不起
年龄比自己小的男人的偏见，
错过的良缘比星星还要多！

在和我老公认识之前，我一直对比我小的男人抱有偏见。在综合电视栏目中经常看到，一些有名的人物在成功之后，就抛弃了和自己艰苦创业的年长的妻子，另找了年轻的女人。所以，在我听到老公对我说“能把我带回家吗”的时候，我不可能认为他是认真的。而且，那时候我刚刚经历了一场不能自拔的恋爱，伤口还没有愈合，就像一团被丢弃的破烂抹布。但是，我看他正好是我喜欢的那种类型，和他交往一下试试看未必就怎么样……于是抱着轻松的心态，开始和他交往。

和他交往的最初几个月里，我一直保持着警惕，关于年收入、存款什么的，都没有告诉过他。因为我这个年龄的女人，不想玩什么感情游戏，精力和时间也都很宝贵。之后，随着交往越来越密切，感觉到他很人性化的性格，一直存在的不安，仿佛倒是杞人忧天了。

有过被男人伤害经历的女人，当然是应该慎重，但是，应该对自己判断力抱有充分的自信。首先尝试着和对方接触不是很好吗？

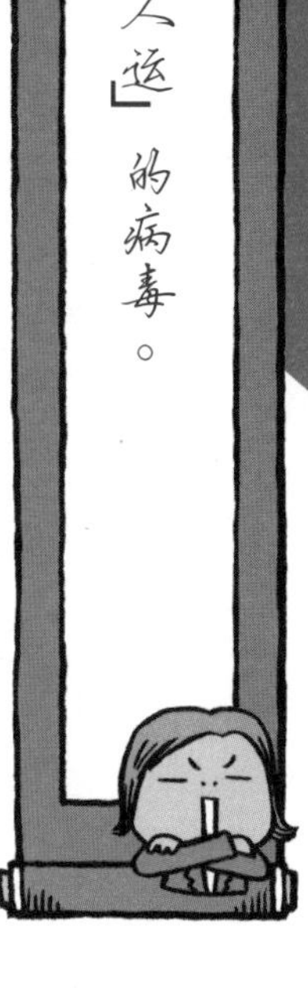

同龄人是竞争对手?!

嘿~
咻~
努把力~
6-1
6-1
GOAL

迄今为止，我谈恋爱的次数比天上的星星还多……
我是恋爱大师
"比星星还多"，太夸张了吧?!
这里面最难相处的就是——
同龄人!!
我一和同龄人交往……
准备接球!
星川君，我随时应战!!
不管怎样，最后总会成为对手。
学生时代受女大学生热和泡沫经济的影响，
时髦发型
美体塑形
通宵游玩
我那时候也曾经拼命赚了不少钱。

听从学姐建议，参加了
哈欠
一本万利的生意……
就职讲座学习班
只要参加酬金五万。
在酒店里暴露了大学生身份，
喏，给，拿去随便买点什么
哇～谢谢
这个大叔脑子一定进水了！
邻座的不认识的大叔就塞了一万元。
上班这事很顺利地就解决了。
看来开头不错，即将迎来的是
快乐人生
——可能？
就要落进地狱了……
泡沫经济之后的一代
哈哈哈
啪嗒啪嗒
那时候认识了他——"这个"
同年龄
"这个"是什么意思呀……
现在早没人把领子竖起来"装酷"了！
一想起他就一肚子气……
轰隆隆
轰隆隆
这个家伙动不动就指责我！
他开支了，我就约他去吃饭……
生气！！
哼！吃饱了你就发牢骚！！
啊～你最近好像……
太得意了吧？
在我决定上班之后，
是吗，不错呀！恭喜！
气得发抖
他也冷嘲热讽……
虽然我不知道你的能力究竟如何……
我想让他和我一起分享成功的喜悦，而他却总是一肚子牢骚！！
轰隆
轰隆隆
而且每回还不忘最后一击：
作为一个女人，不上班～也没什么！！
啪！

你是远古时代遗留下来的化石吗!?
稀里哗啦
裂!
滚回侏罗纪公园!!!
生气会耗费很多能量的……
呼~呼~
演出中请肃静
什么!?
假面变身术
你看——同年龄也有很多好处!
职业微笑
原来就是TBS广播电台的记者
谈到电视、音乐、电影方面的话题总能很愉快,
《公主寻根记》你看过吗?
当然!!那是最起码的……
可是……
聊着聊着,我们依旧很容易地发生争执!!
外星人vs.隐形人vs.恐怖杀手
谁更厉害呢!?
……
对不起,这只是个人兴趣
那些比你小一两岁的其实也差不多。
可如果是比你小5岁以上,由于年龄差距,你对他就会很宽容了。
对吧?
嗯
我这样拼命赚钱你不生气吗?
从开始交往,你就很能理解对方,因为彼此不同的职业,而不会有抵触的感觉。
他也能与我一起分享成功的喜悦,而且从不在工作上给我增添麻烦。
为什么呀?这不是很好的事情吗?
职业和生活习惯也不用随他而改变……
作为职业女性,小男人是最好的伴侣了!!
你别捧杀我了……
以后谁知道……

曾经被“同龄最适合交友”所误导。其实和他们仅仅是在电视节目和音乐方面有共同语言。

现在还是有很多男人,他们对成功的职业女性存在很多偏见。比如有些男人,看到女友比自己收入高、工作也比自己体面,就忘记了两人之间是恋人关系,往往掩饰不住强烈的妒忌心。

我本人就是因此和同龄的男友闹翻了。在我希望他和我一起分享我成功的快乐的时候,他却总是否定我的成绩。更严重的是,甚至给我的工作制造麻烦。虽然和他一起谈电视节目或者音乐的时候很快乐,但一谈到工作,立刻就产生不愉快了。造成这样的结局,关键是他没有把我平等对待。他的内心深处,会不会存在着“这个女人比我强”的烦恼呢?

因此,如果对方年龄比自己小不少,他就会觉得“我作为职业女性理所当然”,那么,双方就不会在这些问题上引起争执。而且,他还会支持我的工作。这样我的工作就不会遇到阻碍了。这样的关系对职业女性是最合适的。

西川拓对小丈夫·小矢的采访报告①

幸好我俩没老婆!

呜 呜
第二章
我的
恋爱人生

我的恋爱观

一言以蔽之：
一意孤行
随心所欲！

我的恋爱之路
遍布荆棘……
呜呜呜
裴勇俊
呼一呼
难道你想演崔智友?
可能归因于
从一开始
我的恋爱观
就不正确……
从很小开始……
爸爸
该吃饭了哟～
妈妈
今天你很漂亮
我
我就善于玩
单人游戏。
一个人担任三
个人的角色
单人游戏的秘诀
就是要有充足的
“妄想力”
我就喜欢
啊哈哈哈哈……
胡思乱想

即使男主人公是黑社会的……
嘿嘿……
小光，——毒品不能沾!!
那时候的少女漫画
僵尸出现～
都是迎合读者的大团圆结局模式。
安东尼，你果然没死!!
与生俱来的妄想症越发展越严重了！
加上醉心于少女漫画，
哈哈
哇哇
哈哈
坏男孩
认识女主人公之后改恶从善
完美结局
我受到少女漫画深刻影响，面对可怕现实根本不知所措……
总认为现实也和漫画中描绘的那样。
而且，在家我是独生女上学也是女子学校。
我是温室培育的！
对现实生活中的男人没有任何抵抗力。
和女主人公谈恋爱之后
便改过自新了。
良子，以前是我错了，对不起
小光～～
从现在开始，我努力工作
可想而知——
一年后
我去玩"扒金库"又输了。
果然还是无可救药，无可救药!!
现实是很残酷的……
我——又把工作辞掉了～
借我点儿买烟钱！！
这就是我"命中注定"的男友!!
我想他可能会很快改变的吧……
坏
大家公认的坏小子
对我来说就是
命中注定的男友！
说的是我吗？
坏

①注：日本广告天后级人物，是著名男星梅宫辰夫的女儿，曾经历婚外恋。

曾经向神灵祈求
“让我找到命中注定的他”。
可是，
爱情是不能靠“求神问卜”
得到的！

一般的人，都会认为，和自己交往的男友都是“命中注定”的。看来我也不能幸免，我曾经也是坚信这一点的。

我一直相信，“和他相识是神的旨意”，不管遇到怎样的笨家伙，我都认为是命中注定。于是，一些男人就觉得我容易上当，有的脚踩两只船，还有的骗我的钱花……但我还是固执地相信他们，连我自己都觉得不可思议。

对于那些相信“命中注定”的人，我想劝告大家几句。请不要对这种观点抱有幻想！如果神明能给你带来好男人，那么，婚姻介绍所之类的咨询机构就没必要存在了。如果不抛弃这种幻想，那你这辈子就会为这个“命中注定的人”受尽千辛万苦。

这里有一个找到好男人的方法，那就是正视现实。如果你感觉到“这个男人不行”，那就毫不犹豫地斩断情缘。没有必要把时间浪费在这种男人身上。

我的悲惨恋爱

哗啦……

正式开始找男朋友，应该是在高二年级的时候。
住在市里的高二女生
回想起来，从初恋开始悲惨的事就接连不断……
激情女高中生的夜生活坦露!!
嘿咻
Hi，美女！
和他初次见面是在新宿的迪斯科舞厅，他主动示好……
这就是猿猴舞
嘿咻
大2岁
你是哪所学校的？
他比我大两岁，
是个打零工的。
是个情场老手！
男友A

哇~~
令人向往的
四人约会
以貌取人的我，立刻落入情网……
和朋友们一起去游乐场，看电影，体会少女漫画中描写的场景。
爱心盒饭
有段时间，他去东北参加集训……
你~~~~
快回来吧
……
虽然他打过来很多次电话，但都是我付钱……
阿香很寂寞呀……
那你为什么给我打了那么多……
可是这个家伙，在集训时候又勾搭上别的女孩子。
让我付费的电话！
没多久就和我分手了……
高中快毕业时，我认识了男友B，
同龄人
是个非常爱吃醋的家伙！
男友B
啊！
有一次我和我俩共同的朋友走在一起被他看见了……
立刻生气，不搭理我了。
你这是为什么呀？！
扭头就走
咚
咚
我想对他解释，可他连门都不开。
你就听我说几句不行吗？！
只有……痛哭流涕……
本来没什么呀。
呜
呜
呜
呜

上大学后交往的男友，
仍是个无可救药的家伙！
不再扎辫子的我
大2岁
男友C
他没有正式工作，但却立志当个歌手，因此一直在唱片公司打工。
他是那种「对身体感兴趣」的男人。
行不行嘛？啊~~~行不行嘛？
一见面就想带我去他家。
嗯——
因为他总这样对我，
终于我忍不住了……
你是不是只想和我上床呢？
他立刻就把我甩了……
真够麻烦的。算了！分手好了!!
太可恶了!!
你说什么?!
又不是没有别的女人!!
但是，仔细回想过去的恋爱经历……
我真的是没有那样比较成功地恋爱过……
看来我……
难道是挑好男人的眼光很差劲……
总结一下…
选男人你都光凭外表的……
被揭穿了
!!
冷静
一语言中
嘴上虽然说着“我讨厌不好的男人”……
但无意中我交往的都是一些不怎么样的男人。
呜~
呜~
难道我竟然对又哭又闹的恋爱上瘾了吗？！
其实我也是M
莫非……我有M(受虐狂)倾向?!

找男朋友的第一条件
就是“长相”。
被拒绝、被抛弃，
还是不长记性！

至今为止，我谈过多次恋爱了呀。回想起来，从高中时代开始，直到30岁，一直在被那些臭男人伤害着。“为什么总是在恋爱上遭遇挫折呢？”这几乎都成了我的口头禅了。由此你大概能想象我在恋爱过程中遭遇过多少痛苦了吧？

那时候，我选择男友的基本标准就是“脸蛋”。只要长得帅，性格什么的全不考虑了。那时，虽然认真而且性格好的男人也很多，可我选择的都是那些帅气的狂妄自大的家伙。异想天开……那时我缺乏种种经验，在追求男友的时候，不断遭到冷眼。并且看不到自己的缺陷，反而增加对他们的怨恨。现在想起来真的感到自己很可悲。

总也遇不到如意郎君，并不是什么命运或者别人的原因，实际上是自己的思想观念有问题。如果总把失败的原因归在别人身上，那是找不到心上人的。

我的泥塘恋爱

……

20岁时遭遇到撕心裂肺的泥塘恋爱。
就是和比我大6岁的男人发生了婚外恋。
好心痛~
旧伤痕~
是一段不愿触碰，相当惨痛的经历。
撕心裂肺的泥塘。
我和他是在新西兰认识的……
……
在非同寻常的场所邂逅，使一见钟情的几率增加五成。
别名：滑雪场的魔法
新西兰
（想象画面·西川绘制）

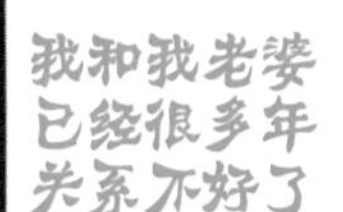

他可怜兮兮的这些话，唤醒了我的母性本能，我一下子就上钩了。

我和当时交往的男友提出分手，

结果换来的是一个更坏的男人。

我俩飞到香港去订婚。

他说回国后立刻就离婚，我想接下来就会梦想成真了……

可是事情不会那么顺心如意的！！

离婚可不是那么简单哟！

我结婚之后，才强烈感到站在妻子立场上的女人的心情……

离婚 申请书

那时的我虽是女强人

但和他谈恋爱后，我改头换面。

不安感使我逐渐开始秘密窥探他的行踪。

埋伏在他家门口，看他究竟干什么……

于是没完没了逼问他！
我那时候都变得神经质了！
喂喂，谁呀？
喂？！
半夜也没少发生！
无声电话等诸如此类的恶作剧
怎么不说话?!
自行车也被扎爆多次。
腥臭～
后来我家的信箱里时常被塞满鱼内脏，却始终抓不到作恶者。
咣啷一
那时候正好30岁……
再这样下去他会杀了我，
我也感到自己快崩溃了，
下决心和他分手。
……
他还曾经把我打得眼底出血……
家庭
暴力
结果，他对我实施了(DV)家庭暴力
经历过婚外恋痛苦折磨的我，所说的情况千真万确……
阴沉～
汪津津～
太可怕了!!
最适合情妇的
除非你有充分自信永远当第三者，否则，还是趁早斩断情缘！
20多岁还有本钱重新振作，但过了30岁，想再站起来可没那么易！
金屋藏娇
婚外恋是要受到很大伤害的！属不正当的男女关系，
长期沉溺于这种恋爱中，就会很容易失去自我！

我是属于那种“得陇望蜀”的女人。但是，婚外恋之路，充斥蛇蝎，布满荆棘。

25岁以后的女人，发生不正当男女关系的很多。根据我的经验，发生不正当男女关系的理由之一是“证实一下自己作为女人的价值”。

老想尝试着把已经属于别人的男人夺过来。

我想，如果对方为了我抛家舍业，那不就是我“魅力无限”的明证吗！

开始的时候，还认为自己的做法无可非议，实际上已经陷入障碍重重的恋爱之中。我也是轻而易举地陷进了这个泥潭。离婚看起来不过是撕毁一纸婚约，实际上可不是那么简单的。不管他怎样表达对你的爱情誓言，最后结果还是把他自己的利益摆在第一位，等你明白了，你已经失去控制自己的能力，于是对对方死缠烂打。

也许你会想“这辈子就做他的情人吧”，但是如果你尚存一丝想占有他的欲念，那还是赶快结束这种关系吧。因为这种关系给你留下的只有无尽的伤痕。

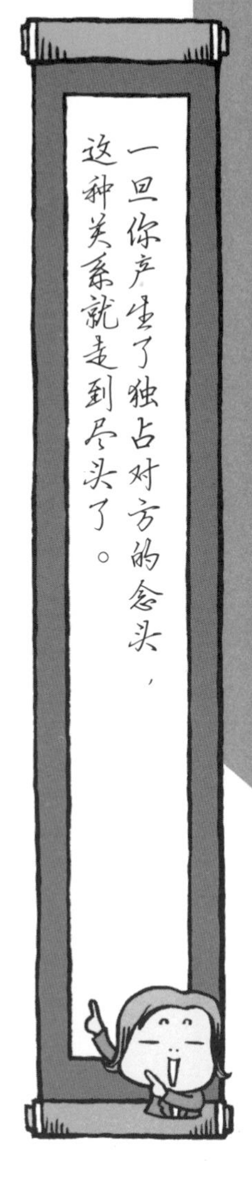

我的婚姻观

结婚就是我的终点
我曾这么认为。
GOAL!!
由于从小就养成了爱幻想的毛病，
对结婚的憧憬，比别人强烈一倍。
憧
憬
穿洁白婚纱在教堂举行!!
而且是
不管你是生病，还是健康……
当然要举行结婚典礼，

哈~哈~
新生活的
舞台拉开帷幕，
摆好漂亮家具，
住进新房子。
系上围裙，满心喜悦，
一边烤着小点心，
一边等候心爱的老公回家♥
亲爱的，你回来啦！我给你烤着小点心呢♥
……我幸福地憧憬着。
LOVE
为什么不早些开窍？
经过了婚外恋，我才看清现实，从不切实际的白日梦中惊醒。
归根结底，
结婚其实并非终点，而是起点！
START
生活毕竟不是仅凭自己想象的。
恐怕~~~
只有仙人
才能做到
不食人间烟火。
索然无味
呸！
请选择我吧!!
该选择哪位呢？
如果对结婚的意识有所改变，
那么，你选择对象的观点自然也就改变了。
破灭型
人生苦短
缺乏生存能力
身处梦想世界时，不管对方是怎样差劲的男人，自己似乎也能接受。
没这么极端吧！

我还是想继续工作的。
而且，结婚以后，
当然还是正经且温柔的男人好！
珍惜女性
诚实
努力工作
应该如此！
但是真的要是在一起生活，
两个人手拉着手，
一起走在人生的道路上，
这才是我要找的男人！
所以，尽管喜欢对方，但他要是那种"跟着我的意志行事"的人，那还是不行！
肯定……
昨又熬夜了？
我不想婚后，
改变我的生活方式。
如果不是非常宽容的男人，肯定难以接受。
呼～
我们一起创造幸福生活吧!!
我想说的是
……这样的话语！
嘴上挂着
"请给我幸福"
这不是我喜欢的台词。
切切！
陈词滥调
我想我现在也具备了一点识别好男人的眼力了……
哇！裴勇俊
依然是只看重外表！

我一直认为
只要结婚就是“女人的幸福”。
现在才明白
改变自己配合婚姻
实际上很难做到。

目前社会上独身的人数迅速增长。特别是那些确立了自己生活方式的人，他们不想为了结婚，而舍弃现在自由自在的生活！！

不过，请稍等一下。

我们现在讨论的就是，在不改变生活方式的情况下，寻找自己的生活伴侣。

为了不选错生活伙伴，首先确定自己的生活目标是很重要的。关键是，自己将来想做什么样的工作？想过怎样的生活？这些都要具体而仔细地考虑成熟。如果没有充分准备，就轻率地和男人交往，遇到不负责任的家伙，肯定要后悔的。

另外还要充分考虑自己所追求的幸福到底是什么。也许别人嫁给有钱人后过得也不错，轮到你可能就未必如此了。

不管和什么样的人结婚，首先自己要能按照自己的生活意愿生活。在选择伴侣的时候，这是最根本的原则。

西川拓对小丈夫·小矢的采访报告②

第三章
与小男人和睦相处的秘诀
这秘诀很有效!
嘘~
秘密
令人振奋!

男女平等

与年龄比自己小的男人交往，绝对不能忘记的就是——“两人平等”。
不要因为自己年长就处处都抢着付账。
胜利！
总是一副善解人意的样子也是——不行的！！
总想着“我比他年龄大”，这种关系很难长久。
虽然他确实年龄比你小，但人格上应该是平等的。
1
2
回想起来，我以前的男朋友都比我年长，
压~
从来就没有享受过真正平等的关系。
痛苦……
抖……

今天看完《蜡笔小新》后……
大我5岁
你都多大了……
不管是下馆子还是看电影都他做主。
哇，很不错的计划呀！
去商场的顶层餐厅吃饭吧！
尽管我从前都是强烈坚持自己想法的……
挤挤
我不想被他甩，拚命迎合他的喜好！
由他摆布的玩具？
特别是在饮食习惯上忍无可忍！
轰隆隆…
可是我的忍耐也是有限度的！！
我是比较挑食的～
每次出去吃饭，全都是他决定去哪。
这个饭店不错吧？
真难吃！
好歹我也是美食评论人
我连点菜的权利都没有
……
他就那样自顾自地
那么～炒面，烤饭团，
然后是茶泡饭。
为自己点菜。
还理所当然地说出——
这些就够了吧？
……那样的话！！
窝火
我想吃——味道厚重的菜！！
喝酒的时候，不要碳水化合物！！
懂吗！！
忍
忍
这些我当然喊不出口，
好的，就这样吧！
只能强装笑脸……
忍…
这种不如意的小事情日积月累，感觉这种恋爱越来越没意思了。
哼！！
怒火填胸！！
当时还得忍着，只能把这种压力到处发泄……

我经历了多次失败……
和小男人谈恋爱，一定要做到平等相待！！
惊涛拍岸！！
日本海
做出这个决定之后感到很幸福。
在外面吃饭的时候，全是AA制的！
刚开始和他谈恋爱的时候，他可是特穷特穷的，
那……
每人出800吧。
好！
而且从来不去高级酒店，只是去那些私家小店或者小酒馆。
黑木屋
黑……黑木屋？果然有点怪……
也不光是在花钱方面，比如要决定看什么电影，通常都是我俩商量着来。
我想看《霍尔的移动城堡》。
不要！我想看《正义之战》！！
在意见不同时：
那我们折中一下……
THE JUON 咒怨
我们去看《咒怨》吧？♪
为什么？
总能找到通融的办法。
采用这样的交往方式，小男人能改变依赖的惰性，变得成熟起来。
很有进步嘛！
如果一开始就随他的性子任其撒娇放纵，反而最终会使他成为提不起来的——小白脸儿。
绳子人
小情人~啊~啊~
务必千万小心！！
虽说两个人在一起要平等，实际上我可是一再克制自己……
我喜欢睡榻榻米，他却要睡床……
明知我喜欢吃鱼，他却坚持烤肉……
呜~呜~呜~呜~
忍
啊——
我做错了！！
目中无人~
这种态度怎么谈得上对等？！

不管是约会还是点菜，
我都要顺依他的想法。
还撒谎说：“我不会喝酒”。

当今时代，如果仅仅从比自己年长或年少来考虑交友问题，就显得有些落伍了。这样的话会影响那些年轻人的成长。虽然他比你年轻，但也毕竟是成年男性了，不能再把他们当成孩子那样对待了。坚持和小男人保持平等关系，是把他培养成自信自立的成年男人的秘诀。

比如在经济方面，尽管自己也是有收入的，也千万不要充大方，随便请客、抢着多花钱什么的。这样的不在乎的行为，只要你做过一次，对方就会产生“她当然应该为我花钱”的想法，社会上无非是又多了一个被人供养的小白脸儿罢了。这些小事情涉及到生活中的方方面面，所以，不管什么时候，不要考虑他的年龄大小，首先要坚持平等。不管怎么样，开始阶段这是最重要的。请无论如何硬下心平等地对待你心爱的小男人。

如果你能把平等的意识贯彻到理论和行动上，那么他就不会厌烦做家务事或者带孩子什么的，就能成长为有责任心的好男人。为了你们的生活更加幸福，务必请牢记这一点。

①注：美国著名摔角手，拥有6次WWE冠军和1次双打冠军。“斧爆弹”、“大脚攻击”、“助跑式断头脚”为其得意绝招。

有些人总是把别人家事情挂在嘴边上，还老夸奖别的男人。
这样做，结果会适得其反!!
刚开始，他可能
这样——啊……
耐着性子听。
如果总是唠叨，他就会厌倦的。
不但不努力了，反而自暴自弃!
哇哇~哇~
……
学生时代，我为了引起意中人的注意，
高见君的朋友
大一岁
我曾经故意和他的朋友约会……
意中人高见君
我期待的结果是……
冲!
小香，等等我!!
啊，高见君!?
你怎么和这样的家伙交往呢!
这样的家伙?!
说我?
你是我的女人呀!
对不起，我~~我……
我是想引起你的注意，我才……
高见君
小香……
激动!!
祝愿你们幸福……
这就是我的梦想!
Fin.

可现实是……
叶石！？我才看不上那样轻佻的女人！！
大打击！！
胡说
轻佻！？
连当时约会对象也说……
你别以为我是傻瓜~~~
呜呜~
对……对不起……
最后结果是一个也没留住……
孤孤单单~
男人其实和植物一样！
多给他夸奖和鼓励，就会结出硕大的果实！
多夸奖多鼓励，就会增长男人的自信。
给你这月的工资。
您太辛苦了！
有了自信，男人工作会很顺利，自然也能挣回很多钱来。
昭和时代的夫妇
秘诀：要以"你和别人不同"这样的语气表现！
只有你才能做到哟！！♡
哇~小声
这种家伙对小远真有效！！
令人振奋！！
要渗透到他的内心深处，
你最厉害……
你能做到……
嗯……我在做噩梦呢！
循序渐进地对他洗脑。
然而，要是夸奖过度了，也会起到相反的效果。
……
一定要注意掌握好分寸……
我本天才~~
不自量力的漫画家

从前我认为
男人不管说什么都要听从。
别人把我看做
“没有主心骨的女人”。

我听说在很多城市都设立了“奖励孩子条例”，所以，我也想设立一个“奖励小男人条例”。不管怎样，首先要夸奖他。多夸奖、多鼓励，就能培育出爱劳动的好男人。

即使那些对自己缺乏信心的男人，在你夸奖他的时候，他也会想到“可能我也是能做到的”，不久就会增长自信了。换位思考一下就会明白了，比起讽刺，还是夸奖会让你感觉更好。男人其实也是这样的。

但是，也不能总是夸奖。如果不考虑把夸奖和批评适当交换使用，那就有可能让他产生错觉，这点也要注意。他做错的时候，就要告诉他做错了。

在批评他之前，先要肯定他的优点，然后指出他做错的地方。比如：“这方面是不错的，可是……”这样比较婉转，他容易接受。如果不问缘由突然就发脾气，会给对方造成心理压力。请一定要慎重。

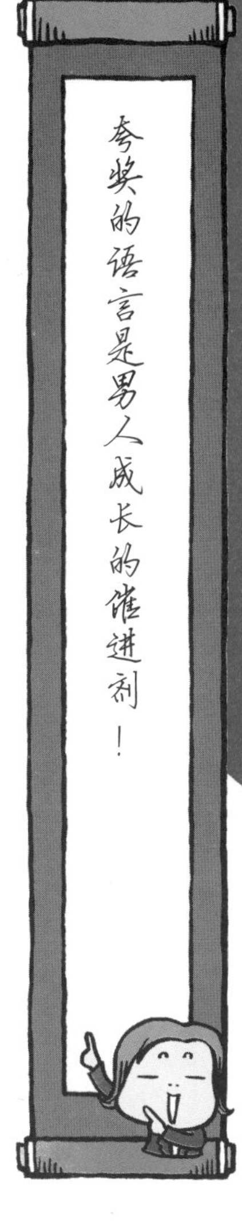

"谢谢"和"对不起"

谢谢
对不起

日本人不太擅长把感情说出来！
OH!! 模仿艺人
有个美国亲戚，便以为很了解美国人……
假鼻子
而我一向毫无顾忌，直言不讳！
我姑姑的老公是个美国人。
你怎么能想说什么就说什么呢……
T导播，你这到底是什么意思?!
气得发抖…
叶石以前的上司
你对着以前和你做过生意的大客户说……
新入公司的叶石
本公司的政策是……

那个……
大客户
?
你长得很像金枪鱼呢!!
吃惊
颤抖~
颤抖!~
发怒
那时候全是我为你收拾残局……
闭嘴!过去的事情不要再提了!!
闭嘴!
别理她
滚开!
请大家一定把自己心里想的话全都说出来!!
你总认为“你不说其实人家也明白”。
心灵
感应
请吻我的眼睛?!
说什么呢呀!?
其实是个很大的误区!!
刚开始交往时,经常把
「我喜欢你」、「我爱你」
挂在嘴边。
手语游戏
……
交往久了,
就再也听不到了。
干什么呢?
你不会说了吗?
更听不到“谢谢”、“对不起”之类的语言了!
对不
等这样的话说不出口时,两人的关系也就生分了……
谢谢
起
对于全部的人际关系,如果总认为“你这样做是应该的”,
大家
放轻松
那就是最危险的!!

向我道谢
常怀感恩之心，
呜啊~
是建立良好关系的秘诀！
???搞什么鬼啊……
即使是日常生活中的芝麻小事，
也一定要记得说“谢谢你”！
谢谢你帮我收衣服！
谢谢你帮我刷碗！
不管帮你做了什么，都应该说谢谢！
啊，我成了圣母玛丽亚
我——切下小指谢罪吧！？
对不起！！
“对不起”也是非常重要的语言。
吵架后，不要冷若冰霜，一定要认真地向对方道歉。
拜托~~不用这么夸张……
如果是对方先承认错误，
我错了
哼~
咔嚓~
懒得理你！
折断了
你也不要再不依不饶了，应该原谅他。
吵架之后应及早解决，
拖得时间越长，越难以重归于好。
说实话，我一直都很自以为是……
唉~唉~
即使知道自己错了，也很难主动认错……
对……
对——对不起！！
发抖~
她这是道歉吗？
唉……
发抖~

我一直认为，谁要是先说“对不起”，谁就理屈，却忽视了爱情就在这种日常小事的龃龉中悄悄消逝……

由于两个人是恋爱对象，认为不需要什么客套了，所以常常忘记感谢对方。一向把沉默当作美德的日本人，是很不擅长表达自己的内心世界的。可我却是常常因为心直口快而导致失败。呜呜。

“谢谢”、“对不起”这类的客套话，是要对亲密的对象经常说的。可是两个人交往时间越长，反而越来越说不出口了。这是因为自己觉得“即使不说客套话对方也能理解”。我们又不是超人，不说出来怎么能让对方了解你的心情呢。人类是动物之中惟一能用语言表达感情的，放弃了发挥语言的能力，不是很可惜吗！

语言是两个人沟通的重要工具。一百次短信也不如一次亲口说出来更能直接表达心情。这样看来，语言真是具有强大的魔力！

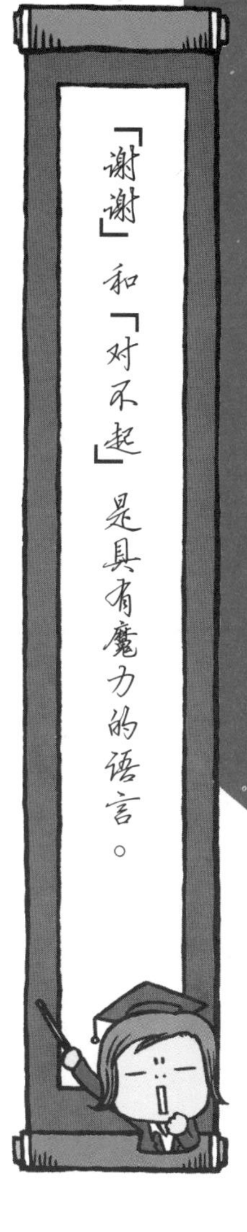

“年长”是高级名牌

和我年龄差不多的姐妹经常这样质问我：
你们年龄相差这么多，你就不在意？
等等类似的问题。
……

以我的独特个性，本来对年龄方面的要求就不是很执著的。
朋友们看起来却对自己的年龄很在意……

这里面有结婚典礼之前，就一直冒充比对方小6岁的超女·K子
骗，我被骗了!!
胜利!!
诡计得逞的K子

永远27岁
有些演员公开的年龄永远是27岁。
过了50岁还有脸说自己是27岁吗？
还是一针见血……
哼哼
哼哼哼
那些在年龄上顽固不化的人……
太虚伪了!!
我是——太木数子①!!
改名吧！
咚——咚!!
刻意装扮成怪怪的年轻样……
美智子39岁
第一次试穿水兵服
～这不是成了公害……
还刻意使用年轻人的流行语……
你好浑
做成流行的黑人女性发型，看起来更像老女人
CHECK IT OUT!
你不觉得你好糗吗？
YO!!YO!!
你才糗哪!!
这样的伪装不能长久……
很快就会暴露在光天化日之下！
啪啦!
啪啦
现大眼了!!
确实有很多日本男人认为——
嘿嘿~
"女人还是年轻的好"!
糟老头儿！去死吧！
然而，这种过时落伍的观念，
不也是对年长的自己自身价值的一种否定吗！
丢掉这种肤浅的认识吧！
对自己充满自信吧！
轰隆隆!!
我对我的翘臀还是蛮有自信的！

①注：日本著名的占卜师。

愿与比自己年长的女性交往的男人大多是本来就喜欢年长的女性。
他们不刻意追求年轻的外表，反而更欣赏职业女性的能力和经验。
年长就是名牌!!
噗噗～噗
噗
上等年长好货
随时恭候大驾光临!!
我已经年龄不小了……
成天这样自暴自弃的话，
绝对没有好男人找上门来的。
丢掉年龄的自卑感，
必须掉上的自卑感，
男人对你的关注度就会飞快上升!!
即使是稚嫩得让你有打法律擦边球嫌疑的小毛孩儿，
哈哈哈～
怎么回事呀？
也逃不出你的手心!!
但是，有一点要注意
与其说丢掉年龄的自卑感，还不如说不能丢掉女人的自信!!
女
一直要让自己保持可爱女人的特质，
不管年龄到了多大，
蹦蹦
可爱的女人
跳跳
可爱的女人
这就是抓住小男人的心的诀窍。
平心而论……
那不是可爱，是可怕……
遗憾!

旅店登记簿上填写的年龄永远都是假的。在正式文件上也这样做，就受到严厉批评。

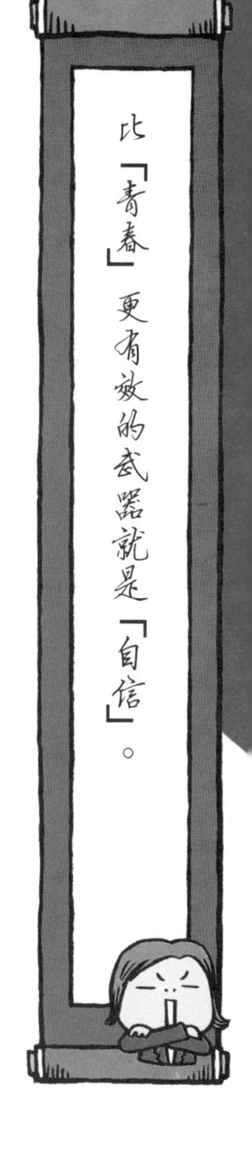

中午的一个电视节目中，男主持人问一位地方台的女播音员"你多大了"，本以为她会回答的，但是她三次都巧妙地避而不答。看样子，她三十五六岁吧。她就那么害怕说出自己的年龄吗？我为她感到羞耻，气得连午饭都吃不下去了。

不管你到了多大，你还是你！年龄增长一岁，说明你的经验和阅历又丰富了。

如果不能抱有坚定的自信、光明正大地正视自己的年龄，那就失去了做好女人的资格。只在意自己的年龄，会增强劣等感意识，最终成为自卑的女性。这样没有魅力的女性，是不会受到年轻男人的青睐的。

当然花很多钱通过美容保持青春也是必要的，但如果不从自身努力也是不行的。所以如果不加强自己的综合素质，是找不到小男人的。

西川拓对小丈夫·小矢的采访报告③

请多关照!!
第四章
和小男人结婚

难以启齿的

“请把您的女儿嫁给我”

嘿～嘿嘿……
咱们的女儿根本没有识别好男人的眼光，这次不知道又找了个什么样的男朋友呢！
父母一定会这样为我担心的。
疑心生暗鬼
先不要顾虑结果，带回家再说。
别害怕，别害怕
……
拖…
拖…拖…拖…
就这样，我把他带回父母家了。
第一次带他回家的时候，
这是小矢。
请多关照
只想让父母对他有个印象。
没想到才刚吃过饭，他就躺在沙发上鼾声大作……
这家伙到底来咱家干嘛来了？
可能因为工作太累……
到底是B型血！只顾自己……
可能是太紧张了吧？！
后来，再一次回我家之前，
请把您的女儿嫁给我！
请把您的女儿嫁给我！！
他练习得非常认真……
夜间公园特训中
岳父大人！
不顾一切
扑通！
就要说了吗？就要说了吗？
然而……
没……
……
抖抖抖
没～～没什么……
憋了半天也没说出口。
唉！

①注：日本著名演歌王子，年轻，清纯，拥有很多中年女性的歌迷。

其实我本来是想教给他一点临阵磨枪的知识。然而……在他把“老铺”读错了的瞬间，我打消了这个念头。

父母一辈大多是习惯于“丈夫年长，妻子年少”的夫妻组合模式，对于小丈夫这种现象还不怎么认可。而且，一直认为“女人是要靠男人养活的”，所以，对涉世未深的小男人，开始的时候是没有什么好印象的。

在父母看来，女儿不管多大了，在他们眼里也是孩子，他们尽可能不让自己的女儿受苦受累。但随着你们交往时间增长，他们会对你们的关系胡思乱想，甚至会给你们的恋爱制造麻烦。所以，如果要决定和小男人结婚，就要尽早把他介绍给父母。

在把小男人向父母介绍时候，最需要注意的是叫他不要故弄玄虚。可以让他聊一些大家都知道的新闻什么的，没必要让他恶补什么高深的书。小男人的魅力就在于保有社会上已经不多的纯朴了。比你把他作为你的生活伴侣更重要的是，你的父母能不能对待他像自己的“儿子”一样。

对于父母来说，不要把他看作「女婿」，而要当作「儿子」。

婚礼大富翁？

COME ON!~~
OH YEAH!♡

经历了几场没有结果的恋爱之后，结婚梦彻底破灭的我——
呸～
铿啷～
对婚礼什么的也丧失兴趣了。
而且，现在的趋势是流行简单朴素的婚礼！
那么——我们决定不举行婚礼仪式。
演艺界的明星们也就是履行个公证手续，婚事简办的时代来到了。
但是我家的小男人和我想的不一样……
哪来的这么大的干劲……
一定要搞个漂亮盛大的婚礼！
婚期逼近!!
当然我们一定都要穿正式的和服~~!!

他坚持自己的立场。
……
不行!!
由于不想成为朋友们的笑料，我试着劝说他从简，但……
一定要大办
如果戴上假发，穿上和服，感觉就如同宫女一样。
哈哈~~~ 哈哈——
傻瓜主持
我身高只有152厘米，
~转来转去看
怎么了~ 怎么……
这下子可难住他了吧……
嘿~~~ 嘿……
可当时他的存款几乎为零……
怎么办？
结婚大全
肯定需要很多的钱。
可是，要想举行婚礼仪式——
……
念~叨
Magazine
到处搜购来的婚礼杂志→
人生大事不经过我同意擅自决定!!
一定会收到红包的吧!!
不要!!
撕—裂!
更是让大家留下深刻印象了!
啊~~ ……
来吧！大家一起唱吧！
嘶哑的声音
我举着麦克满场飞，兴高采烈地表现一个新娘的兴奋。
这里不是练歌房吧？
新郎嗫嚅地说着爱情的誓言……
永远爱她……
一辈子不变心……
这样一来，虽说硬着头皮下决心举行了结婚仪式，但却受到了好评！
我~我发誓！
唉~

因为没多少钱，
所以这场婚礼
基本上是由
自己亲手操办，
这样一来反而
感觉很温馨呢。
挺成功的！

开始我相信
“简单的婚礼很有型”。
几个月后，
我在到处挑选婚礼服装的时候，
却陶醉在
筹备传统婚礼的喜悦之中。

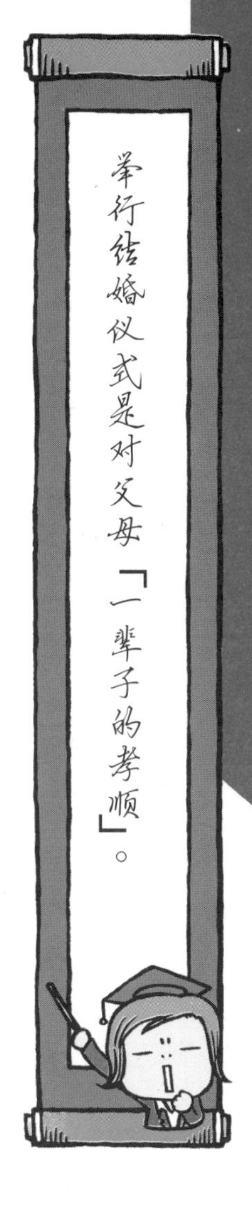

想起泡沫经济时代的结婚典礼，那时候新郎新娘坐在花篮吊椅中闪亮登场，婚礼过程中更换五套礼服，更是司空见惯。

这几年，日本的结婚仪式受美国化影响，变得简朴起来了。我觉得这是非常好的风气。婚礼上，被仪式过程和服装死死地限制住了，作为主角的新婚夫妇只能任人摆布，反倒成了仪式的配角，一点意思也没有。结婚仪式毕竟不是歌舞晚宴吧！

实际上，举行结婚仪式的时候当然是很快乐的，不但能圆了自己的美好梦想，还能借机感谢父母的养育之恩。平时不好意思在父母面前说出来的心里话，在婚礼上可以用一封“给父母的感谢信”表达出来。父母第一次看见我穿上洁白无瑕的日本传统婚礼服装时的那种表情，至今回想起来我仍非常感动。

开始时我只是想“办理结婚登记就行了”，举行婚礼后，想起父母当时开心的面容，心里真实地感觉到“举行结婚仪式真好”！

事实婚延续恋爱的感觉

我们两口子结婚好几年了，但一直没有正式登记。
呼呼呼
这就是所谓的~事~实~婚

并不是因为有什么特别的原因。
只是因为工作很忙，不知不觉就拖延下来了……

如此一来，
却产生了
对婚姻的
紧张感。

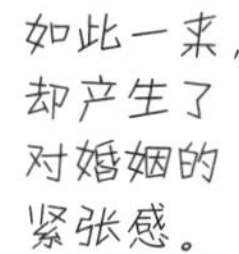

虽说已经举行了结婚仪式，但在户籍证明上却还是两个不相干的人。

“登记”也未必就是婚姻的保险，但这样长久下去也许会破坏双方融洽的关系。

因此在这方面，双方都拥有莫名的紧张感。

在很想痛扁他时，立刻警醒——“事实婚……事实婚”，只好忍耐！!!

哼哼哼~

只有你才会这么想呢……

我必须给诸位女士的建议是：

在事实婚期间，一定要事先说出你想要对方改正的地方，以及制订家庭内部应共同遵守的规则！！

阴~险

因为对方在想“如果你不高兴了，也许就会离开我”，所以就会对你处处谦让，百依百顺。

怎么不热呀~

登记之后，要是预备这样的温吞洗澡水，那就不答应了！！

我是这样制订家规：

一、家务事两个人分担。
二、任何事情都要和我商量后决定。
三、必须要告诉我回家的时间。

……我都对你交待清楚了！

事实婚期间生活费每人出一半。

每个月拿出相同数目的钱来存进银行，剩下的作为自己的零花钱。

剩下的这点钱可够他算计的……

这个月又相当拮据了……

让他感觉挣钱不容易，也是好事。

直到申请购房贷款时，我们才正式办理结婚登记手续。
一直憧憬的属于我们的房子♪
因为银行规定“未办理结婚登记，就不能申请购房贷款”。
你这家伙，说什么呢！
实在没办法，只好忍气吞声！
小香，你别发火！！
我们登记之后，也没感觉互相的态度和生活方式有什么特别的改变。
我还没有改为夫姓呢。
我现在姓“叶石”。
但有时会突然想起什么……
裴勇俊真帅呀
一次就知足，真想和他约会……
郁闷呀！
接下来就是浪漫的一夜……
小香……
啊，不行不行
啊——！？这样不又是“外遇”了吗！！
事实婚期间，由于还没正式登记，顶多是“偷情”罢了
现在说什么也晚了——早知道还不如试一次呢！！
偷情和外遇有什么不同吗？

银行对待“事实婚”
是有限制的，
尽管能提供婚礼时的发票，
但还是不能获得贷款。

我们夫妇举行结婚仪式好几年了，但一直没有办理登记手续。说心里话，不是因为自己有什么其他打算，真的是因为登记手续是很麻烦的。

我俩很清楚地知道我们是正式的夫妻，但周围对我们不认可的人也很多。表现最明显的就是不讲情面的银行。我的婚姻状况一栏写着“未登记”，就不能获得贷款。第一家拒绝给我们贷款的银行，甚至还要求我们提供结婚仪式的照片和结婚礼仪的发票。

我把这些告诉米琪店长了，他说，“我还想和他‘登记’呢，人家不管”。当今的日本，虽然户籍上的性别可以变更了，但是还不承认同性婚姻。虽然事实婚不受法律的保护，但是比那些结婚之后就无视对方的情况，或许还是能够融洽相处的一个秘诀呢。

事实婚的紧张感比结婚证更使人自律！

给“新潮女性”的建议

大家知道“新潮女性”的意义是什么吧？
首先由我——叶石香——来给大家说明正确的——“新潮女性”理念!!
清清嗓子
新潮女性
咳～咳～
这是肯德基爷爷吗？
最早的提倡者是已故记者岩下久美子女士。
我继承她的遗志担任“新潮女性促进委员会”的代表。
“新潮女性”指的是～～未婚或是已婚中，
那些精神独立自主的——成熟女性。
顺便说明一下，
这位是倒立的成年女性

最大的特点是：
也能和别人很好地相处。
新潮女性
新潮女性
新潮女性
当然是过着独身生活
当然将来是必然要结婚的，
那时作为单身一族的时间就会锐减！！
就剩这点儿……
单身
两个人
对于有单身生活经历或喜欢单身的人来说，刚结婚之后，会感到无法适应。
做家务时显然不熟练，
时间紧迫时，更是一团混乱！！
洗衣服
扫除
做饭
如果还要去上班，
加班4小时
我咋这么命苦呀！！
还要等我回家做饭！
巨大的压力会让你喘不过气来。
所以，过着“新潮女性”生活，就能消除这样的压力！！
这样的东西也能吃吗？！
碎
工作不顺心时，带着沮丧心情直接回家……
由于正被工作中的情绪所困扰，就会对家人发脾气。
太过分了……
但是，如果你在回家的路上，找一自己喜欢的小店喝上一杯，平静一下心情，
回家之后就能忘记烦恼，并能温和地对待家人了。

小矣也很了解我这样做的好处。
我稍微晚一点回家行吗？
SHOT BAR
没关系的
他很支持我这种“新潮女性”的做法。
当然，也可能是不想成为被发泄的对象……
怒吼怒吼!!
过去他也受过很多委屈了!
结婚之后，有很多人认为，各行其事会招致对方的反感，所以停止了“单身一族”的活动。
这是完全错误的!!
亲爱的，你回来了!
妻子能很恰当地排解丈夫的工作压力，作为丈夫对这一点会非常感激!
因此谁都想赶快回到温馨的家。
然而，妻子要总是焦躁不安 心怀不满……
恶魔占踞的家
……
能保有「自我」的妻子最有魅力!
眼巴巴苦等丈夫回家会惹人嫌。
为了成为永远迷人的妻子，务必适时享受“新潮女性”的独处时间!!
新潮女性促进委员会
我的话完了!
这样说来，你老婆真的活泼而迷人?
……她每天刷牙，牙齿洁白耀眼。
喂!!
你们别嘀嘀咕咕啦!!

我梦想就是和你融为一体。你却对我若即若离！

有些女性找到了爱人之后，就死死缠住想整天黏在一起。认为自己的24小时全都是属于他的，自己就是为了他而活着的。

这样过分地重视对方，自己等于是甘愿被对方同化。实际上这时你已经迷失了自我，只不过本身察觉不到。要知道人类生存最基本的原则是保持“自我”。

虽说两个人一起共同生活，但是双方各自的精神不能自立的话，日子过得不会很快乐。认识到人格独立的重要，也会很自然地对对方尊重起来。所以，还是应该以积极的心态把握属于自己一个人的时间。

我老公最近常对我说，“你要不要自己出去走走”，他这样对我说的时候，我是不是表现出不愉快的样子了呢？

可能他想到，与其让我把不满憋在心里，还不如让我去喝个闷酒，发泄郁闷之后就好了。我们家“夫妻和睦的秘诀”就是“保持自我”。

西川拓对小丈夫·小矢的采访报告④

第五章
和小男人
一起
生活
有梦
就好

没钱也无所谓！

吸溜 吸~溜
一碗清汤面
两人抢着吃

和小男人结婚，必须要正视的现实就是——
贫困!!
嗖
嗖
嗖
嗖
他们没有工作资历，
……
收入自然十分微薄。
对那些以前经常和年长有钱男人交往，或者过惯了奢华生活的女人来说，
开始真的会受不了，很辛苦。

以前，我都是在高级饭店吃饭的……
突然间就变成在街头小酒馆、小吃店吃盒饭了，
待遇降低!!
刚开始真的有很多不满意的地方。
泡沫时代
我一向以"泡沫经济之花"自居。
呼
昙花一现
泡沫经济时代
尽情对嘴吹香槟。
咕嘟 咕嘟~
你是哪位呀？
舒马赫
1
2
在他的船上畅饮高级葡萄酒。
也曾与拥有游艇的公子哥一起——
我是晕船还是醉酒
我不知道~
哈~哈哈哈
然而，贫穷也不是绝对不好。
街头小店的材料更新鲜，味更正宗。
比起那些只是名气大的饭馆，
这个烤鸡肉串，
味道醇香，口感极好，春风拂面般清爽!!
都是因为和他约会才有机会体会到。
也第一次感觉到日本清酒是那样好喝，
现在我成了日本酒评论家

如果你选对了人，

随着他工作时间增长，工资自然就会很快上升。

我曾经认为“男人的价值靠经济实力决定”，这也算是泡沫经济的后遗症？

开诚布公地说，小男人就是没钱。我老公和我谈恋爱的时候，工资还不够交我住的公寓的房钱。

假如是20多岁，我可能对他的经济实力很计较，30岁的女人收入和智慧都很充分，想法就不一样了。

“钱少有钱少的活法！”

这样想的时候，你在选择小男人的时候，思路就会改变了。在你和他出去玩还要AA制的情况下，豪华的饭店还是先躲着走。一般也就是在公园里野餐、乘水上巴士什么的。一路上渴了喝个咖啡或者茶，饿了就买个炸肉饼，感觉这种约会特别新颖呢。不花钱就找不到快乐，这种论调非常错误呢！

我的老公现在是我们这个小家的一家之主。为了小家庭的幸福，他很努力地工作着。如果你找到了认真工作的小男人，慢慢地他会给你挣回很多钱的，千万不要为此担心。

追梦的小男人

憧憬
什么！！
我不切实际！！

面对问题时，想法很灵活。
他还比较年轻，还不是很固执呢！
抱有对未来的梦想，最重要的是有挑战未来的决心。
蓝色角落！
哇
呀
呀
挑战者小矢！
和小男人一起生活的最大乐趣就是……
他充满幻想！！

可能有些人由于看不到前景而惴惴不安……
而我对此中奥妙深有感受!!
我最喜欢赌博
我们为了实现各种各样的梦想而努力着。
伟大的梦想
他最想实现的梦想就是开一家自己的小店。
小矢美容店
顺便说一下，我的梦想是当个作家。
我们共同的梦想是……
海风呼呼~
移居海外无忧无虑地看着大海，悠哉悠哉地生活！
(可能的话最好生活在小岛上)
潜水、游泳……
穿着比基尼泳装，躺在沙滩上看书……
一直在东京这座城市里辛辛苦苦为生活奔命，
啊!截稿日期快到了—
随着年龄增长，想过真正的生活。
这个工作刚结束，下面的又来了……
把我称作拉车老马吧!!
虽然知道那是梦幻般的故事，
但人要是失去了梦想，生活就不会愉快了吧!!

所谓梦想，就是下定决心去做一件事！
只要坚持不懈，总会梦想成真!!
年轻人真了不起！
我能能能!!
他很单纯，勇气十足，可以信赖。
他勇气十足
身边有这样的男人，我就感到很兴奋……
这样的感觉，让我产生了更加努力工作的冲动！！
这也是实现梦想的“存款”!!
已经把未来看得清清楚楚的年长男人，早已失去梦想了！
……
他们只想着退休之后怎样生活的问题……
……
……
……
经常谈论的就是养老金再就业、老人看护问题……
听到这些，我的心情也越发沉重起来。
不想听！不想听!!
将来我们搬到外国去住吧♥？
坦诚真实想法……
生活可不是你想象的那么美好……
到底是女人……
气气气
气气
最后只落得被他耻笑罢了！
当然，人类不是食梦貘！
正在申请专利
食梦貘玩偶装
光靠梦想是不能生存的。
然而，要是没有梦想，对生活就没有信心，那工作还有什么意义!!
所见皆同
人生就是要有梦想！你怎么就不明白呢!!

连做梦都不会了。
这就是老男人的实际状态。

现在，你要是问小学生“将来的梦想是什么”，一般都得到“当公务员”、“当白领”等等毫无新意的回答。可我们小时候，很多孩子的回答，往往是充满浪漫幻想的“当总理大臣”、“当宇航员”什么的。姑且不说那些已经把自己前途看得很清楚的大叔大伯们，就是孩子们也渐渐失去了梦想，这世界就显得有点寂寞了。

和小男人交往最大的收获，就是感到他们总是怀有梦想的。梦想是有一天可能会实现的，不是绝对不可能实现的白日梦。怀有梦想，就会为实现梦想而努力，冲破艰难险阻，一往无前。

然而，那些老气横秋的年长者是不会这样想的。他们已经丧失了冒险的勇气和体力，只是关心眼前的生活。不管你说什么，他们都抱着否定的态度，期待得到鼓励的年轻人受到他们的影响，也会萎靡不振了。

对人类来说，梦想是生存的原动力。做梦是人的一种能力，是任何人都不能失去的。

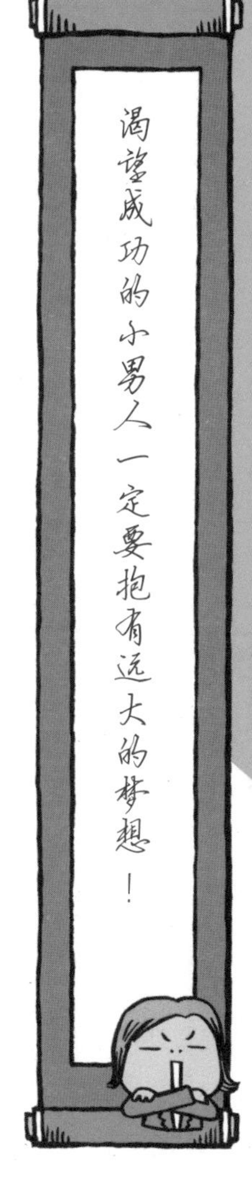

我做饭，他扫除

家务游击队!!
夫妻战斗队!!
妇
夫

怎样才能偷懒呢……
我最讨厌做家务~~!!
烦~人
特别不会做扫除！
好像西部电影……
荒凉……
更有甚者，家里最脏乱时，一团团猫毛在地上滚。
滚~滚~滚
我实在不善于做整理工作，小学时的记事本上……
4
体育
桌子里面要打扫干净!! 现在好像要生虫子了。
老师留下了这样的评语。

结了婚就没办法了，只好收拾一下！
最讨厌的就是整理衣物！！
经常从没有叠好的衣服堆里拣出来一件来穿上，所以每次出门时的打扮都大同小异。
老公正好和我相反。
特别会收拾整理！
一尘不染！
他衣柜里的T恤衫、内裤永远是整整齐齐摆放着。
整——齐
旅行时，我们一起收拾旅行箱。
怎么差这么多？
要我，总能把箱子堆得满满的再别想塞进去啥，而他却不可思议还能剩出很大空间。
富余空间
夫妇俩都上班，婚后生活中，家务一定要共同分担!!
平分！
但是，人们都会有擅长或不擅长的事情。
……
恰当分配由谁来做什么，很关键。
我们家就是这样，很重视双方特长，根据特长分配家务活。
这样做的结果是，能够长久坚持，互相之间也不会给对方造成压力。
救命～
救命啊
救命

由于工作关系，我很擅长做饭，那么就由我来下厨。
比如说做饭。
喀吱～喀吱～
我给你做了菜粥。
顺便说一下，他做的饭可是很难入口。
啊——
简直就是粘窗户纸的糨糊呀！
饭后，我负责收拾。
他是个一丝不苟的人！
刷碗也非常细致。
而要让我刷碗是肯定刷不干净的。
你没刷干净。
哼！～～我本来就大大咧咧的！
啊！
楼梯太光滑了
滑
平时的扫除虽然由我来做，但逢休息日
他仍会用吸尘器认真打扫。
哈！
最重要的是，即使有不满意的地方，也不能对他发脾气或者责备他！！
忍耐！……忍耐！
不管是谁，累了半天还是被责备，干劲就没了。
床单最好摊开了晾，那样干了后就不会皱巴了。
你温柔地对他说话，气氛就会很融洽。
无论如何……这时候，首先要做的就是表扬！然后再做其他补充：
你帮我都晾好了呀！谢谢你哦
但事情交给他做了就绝对不要再干涉。
浴室由他来打扫!!
虽然没有打扫干净，但我绝对也不再清洗了……
做这一切，都是为了培养他的自主性!!
一不注意就培育出霉菌来了!!

我除了会做饭，
其他什么都不会。
这不是我谦虚，
真的实在是什么也不会。

虽然我很清楚我已经是真正的家庭主妇了，但我确实是不具备做家务事能力的女人。我只会用吸尘器打扫房间，吸不到的边边角角还是落满灰尘。“家务压力”也是一个新名词呢，我确实是因为家务活儿头疼的女人。然而，正好和我相反，我老公在家务上确实有超常能力。每当他休息的时候就做扫除，同样的房间被他打扫得窗明几净。他还擅长整理房间、衣物，生活用品的保管也都交给他来做。

不过，要是说到做饭，就恰好相反了。我在工作中有时候会遇到制作食谱，所以很擅长做一些不为人知的菜。老公虽然味觉丰富，可做饭一点也不行。我也希望将来他能做出色香味美的饭菜，但现在还做不到呢，即使是不好吃的，也不能勉强他给我做。

夫妻二人都上班，所以要共同分担家务，这已是常识。所以，要根据两个人的特长，把家务事共同分担起来。如果长期地做自己不擅长的家务事，就会产生家务压力了。

工作有自由

工
作
经
历

我想结婚之后就辞去工作了……
商社职员·A子
这样考虑的女性现在很多呢！
趁着现在还没结婚拼命工作！！
出版社职员·B子
她们都认为“结婚之后，不会像自己所想的那样再去工作了”？

小男人是万事好商量的，你不用担心!!
结婚之后也和独身时候一样，仍然可以勤奋工作!!
……
我交往过的年长男人，
差不多都是……
女人别考虑什么工作的事了吧!!
不认可婚后老婆还工作的。
如果，你的年薪比老公还高，那他就会非常妒忌!!
不过是个女人罢了!
有什么了不起!
挖苦几句也还能忍，
有些人还会借此轻视自己……
你越来越不理解我了我很难过……
不知道你什么意思……
惶恐
这些人的家庭……
父亲是勤劳工作的公司职员
母亲是精于家务的专业主妇
大都是这样的组合。
这些男性往往是……
吃饭最少要有三菜一汤!
希望婚后，妻子也能像自己的母亲一样，当个专职主妇。
蛋炒饭
要是连饭都做不好，还是趁早把工作辞了吧!
当然不是所有的小男人都是这样!!
——有些自己的母亲也在工作的小男人，对职业女性就很宽容了。
家庭环境的影响真的很大!

为了我儿子拼命干!!
他永远忘不了小时候母亲辛勤劳动的样子。
安全第一
妈妈
他就能认可并支持女性工作。
无论我因为工作回家有多晚，他从不发牢骚。
我家的情况正是如此!!
回来了
他也从没有提出过意见。
由于工作的关系，我经常和男同事一起应酬或出差……
和这样的男人交往，事业绝对是得不到发展!!
我以前的那些男朋友可不是这样，我要是和别的男人说话，他们就会很不高兴……
老老实实待在我这儿
烦死了
受不了了
再想恢复到原状是很难的……
如果要是一度放弃了自己的事业
没有了
找不到了
……
工作经验
为了这些，去寻找宽容的小男人吧~~!!
仅仅为结婚，就放弃自己的事业，实在没必要!
你往哪跑~
我被她抓住了!!

以前总是被请求
“做个专业主妇吧”。
我要问他“没钱怎么办”，
他就把我甩了。

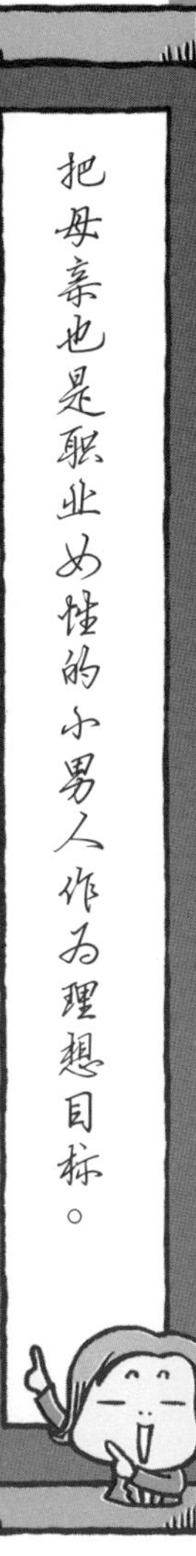

我对结婚对象的一个要求就是“让我继续工作”。

因为不想失去我多年来积累下来的工作经验。如果要是为了结婚就舍弃了自己多年的工作经验，结婚之后也会心里责怪对方的。这样的话，婚后生活不会幸福的。

我认识的一些男朋友，开始时候还是很支持我的工作的，但态度逐渐就会变化了。开始时候会说“这样的工作不做也罢”，接下来就会说“女人的幸福不是工作”。这些人的相同之处在于，他们的母亲都是专职主妇。他们的内心深处一直认为，“女人守家，天经地义”，所以他们也这样要求自己的恋爱对象。

我老公的母亲已经六十多了，仍然在工作，可能是由于这个原因，他对在工作上如鱼得水的我从心里支持。如果你不想失去你的工作，那就找个母亲也是职业女性的小男人吧！

西川拓对小丈夫·小矢的采访报告⑤

第六章
小男人的药效

眼也清新
心也清新

自我约束
自我约束
自我约束

和小男人结婚
ZZZ
我在精神上感到特别安定。
和同龄男人谈恋爱，往往在某方面会成为竞争对手
通常一刻都不敢放松。
和年长自己的男人交往，则又是要忍受很多欺压！
压死我了！
……
经常被折磨得身心俱疲。

现在这种担心一点儿也没有了。
平时，除了随时注意保持对等关系，别的就没什么担心的了。
两个人在一起感觉无拘无束。
这种感觉，好像比和亲人在一起都更轻松。
职业女性一旦离开家门，就立刻进入战斗状态！！
严肃！！
穿着昂贵名牌套装
套装光鲜
浓妆艳抹
彩妆化得让人看不出本来面目
要想不被别人「轻视」，
谁敢小视我！！
必须在外表上有压倒人的气势！
示威对象的年龄要在30岁以上
把自己打扮得过于妖艳就会招来性骚扰！
不怀好意的老色狼就会闻风而至……
二十多岁的时候，我曾经为此遭到过很多骚扰……
唉—唉—
当时我在一家杂志社上班。
我的文字量也没有增加呀……
每个月都给我涨工资。
不可思议
存折
我是新来的，水平也不高，怎么会……
有一天，总编辑提出请我吃饭……
哈，叶石小姐……
我有一种不祥的预感……
大—吼！！
请你嫁给我吧！！
果不其然~~

①注：日本著名恐怖片《午夜凶铃》中的女鬼。

由于害怕经常被骚扰，穿起长裤套装把自己包裹起来。曾经被人嘲笑为“假装成熟的小男人”。

做职业女性真的很不容易。和过去相比大部分工作虽然比较容易做了，但是整体上说工作环境还不是很完美。由于被视为“不过是女人罢了”，不得不忍受区别对待；还经常成为被骚扰的对象。虽然想过，要是结婚了，可能就不会受到骚扰了，可实际上却不是这样，反倒被认为“即使轻薄了她也不会有麻烦”。这样令人恼火的事情也出现过很多次，使我不得不让自己变得张狂一些。

但这样勉为其难的结果，就是身心俱疲，其实我倒没有责怪别人的意思，只是想过自己的心里平静的生活。所以我找对象，觉得还是“纯朴自然的”那种男人好。

宽容、思想灵活的小男人，没有那种“女人低一等”的陈腐观念。和上班时候不同，在他们面前没必要把自己表现得不近人情，所以，精神上也很愉快。在工作上遇到了不顺心的事情，回到家后看到小老公温存的面孔，烦恼立刻烟消云散了。我想，对辛勤工作着的职业妇女来说，这样的伴侣是最合适的。

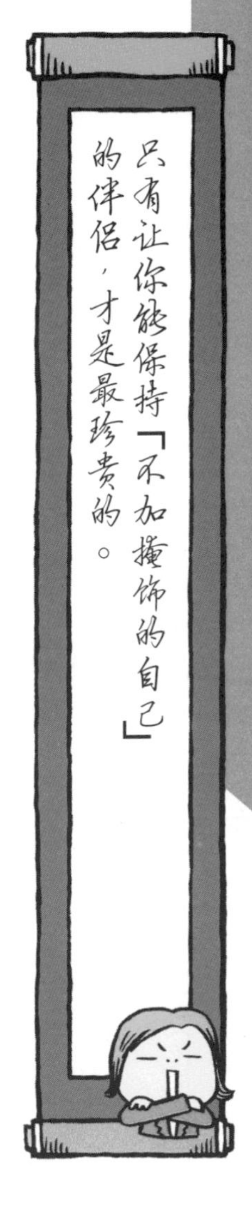

永远的少女

最新的研究结果显示：

小男人具有

“延缓老化的效果”!!

小男人研究学会

就是说，和小男人一起生活的女人不易变老。

小男人非常有活力

整夜在路上

我们要是去滑雪或者温泉，总是夜间出发。

噗噜噜～

年轻人不光是精力充沛，而且
思想也前卫时髦!!
呵呵
和年轻人在一起，现在社会上流行什么
我立刻就能掌握。
有一次，老公的一个才20岁的低年级同学来我家借用浴室。
我们宿舍里没有浴室
谢谢，添麻烦了!
他洗完之后我也进去洗澡，
胶原蛋白男孩!?
怎么身上变得异常光滑了!!
可能是水里融入了青春精华……
嘻嘻嘻
恐怖
和年轻人在一起，能吸收到他们身上的能量。老男人则——
完全相反。
最近，年轻人越来越不像话
没有发展前途
昨……昨天不是刚说过了!!
回到家里，要是和他聊聊天，除了发牢骚，没别的。
一到休息日就整天在家睡觉……
呼噜~
散发着陈腐的臭气
我也被他影响得快速老化……

如果你的老公是小男人，他的朋友们也都是年龄相仿的青年人……
你就会刻意的坚持“不能让他的朋友把你看成老太婆”，
所以，就会努力使自己保持年轻人的状态。
以前，有一次我路过他公司门前，当时衣衫不整，精神还不振……
迷迷糊糊——
忽悠
忽悠
真倒霉！正好碰上他的同事！！
哎呀不好！
擦肩而过之后，正在暗自庆幸“他们没有注意到我”的时候……
那不是个老太太嘛！！
老太太
大打击
噗~泄气了
这下完了！我给他丢脸了……
讨厌——
从那以后，我告诫自己，要时时刻刻把自己打扮得漂漂亮亮的！
这几年，为了保持自己的苗条体形
哗啦~
哗啦~
呼
呼
呼
每天都去参加健身。
托您的福，我的腹肌一直保持着强健的六块“螃蟹状”腹肌!!
……
软塌塌
紧凑结实！！
常说“病从心来”，青春也是从“心”焕发出来的！
——借助小男人，让我们的身心都变得年轻起来吧!!
小男人的疗效

和老男人的约会
总是安排在晚上。
朋友们说：
“你很像个吸血鬼呢。”

自从我和老公结婚以后，别人见了我都说“你看起来比以前年轻了”。这是受了老公的影响，开始喜欢运动的结果。以前我特别不喜欢运动，特别是游泳，一生都不想学习。没想到当了三十多年旱鸭子的我，现在能轻松地游一公里，连我自己都感到吃惊。开始想，参加运动俱乐部肯定坚持不下去，但是到现在，已经持续三年多了。

还记得和老男人约会那会儿，除了打弹子，就是玩电子游戏。即使一起出去，也就是小酒馆或者电影院。一切活动要照顾到他的体力，于是我也变得老化起来。

在这方面，青年人就是非常具有活力。和他约会，想要和他玩到一块儿，就需要具备一定的体力，自己就会想到加倍努力赶上他。在这个过程中，你的精神和体力就有可能恢复到年轻状态。小男人的防老效果说不定胜过那些高级化妆品和激光治疗仪呢。青春精华素，青春精华素，嘻嘻嘻……

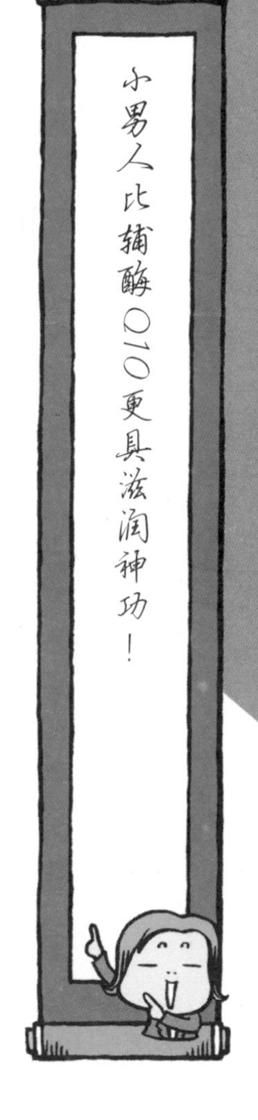

老人的退休金
哪比得上小男人

从现在开始，可以依赖的只有小男人!!
现在投资小男人，收获的将是安定的晚年!!
请不要错失良机!!
小男人股票
买一股吗？
稀~里~哗~啦
日本的退休金制度逐渐被破坏了！
太感动了!!
我对国民退休金制度一直都是嗤之以鼻！！

虽说退休金从60岁开始领，但利率从65岁才开始涨高。
终身支付额差
60岁开始
65岁开始
所以，从60～65岁之间，等于是没有收入！
如果你找的是小男人，在你没有收入期间他却还在工作，
好呀
那你就不用忍着损失，接受60岁开始的低退休金。
多亏你了！
所以要找一个至少比你小5岁的
这样一来，等他到60岁的时候，你自己就能拿到高额退休金了！！……
我们就要迎来结婚50周年的金婚了，呵呵～
我俩的生活不会受到影响。
如果你找的是老男人，他退休后你就必须担负起生活的重担，
会非常辛苦。
我～～是老男人
5年之后就退休了～
如果他比你年龄大很多……
你可能还必须担负看护责任……
快点儿!!
我憋不住了!!
现在是女性长寿的时代～～!!
老年之后，和小男人就能取得平衡。
互敬～
快乐地安度晚年。
互爱老夫老妻～～

当今日本人的平均寿命。

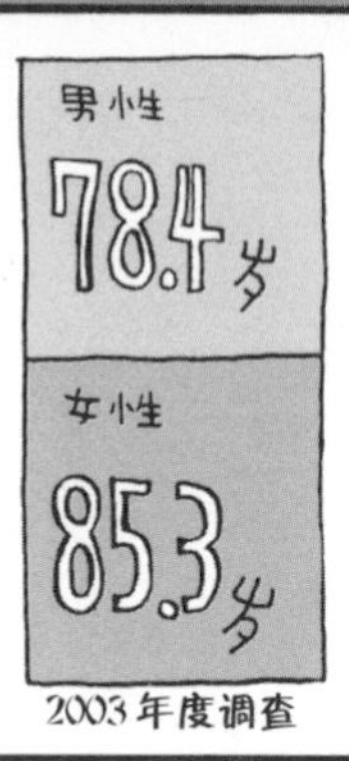

2003年度调查

男女相差约7岁

老男人的妻子成为寡妇的几率很高。

要是老公是小男人，就有可能携手奔赴极乐世界……

这个棺材是特别订制的!!

夫妻关系其实很有讽刺意味

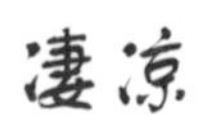

孤独～

活着的时候夫妻俩感情越好，其中一个要先走了，剩下来的就越发孤独凄惨。

我的理想是和他一起奔赴天国……

努力吧！

拜托了，请别拉着我殉葬好吗！

要能同时驾鹤西去，那葬礼举行一次就够了。

省时！省力！

省钱！

因为两人同行，费用也能打5折！

没有优惠套餐吗？！

没有！只能打7折!!

↑
葬礼公司

一直到死都上算的小男人!!

最佳选择!!

听他说“我老了之后要拜托你照看”，吓得我逃之夭夭。我自己老了还不知道谁照顾我呢！

看到接连不断的社会保险局的舞弊案件，我对退休金几乎不抱太大的期望了。

以后可以依赖的只有小男人了吧。

我觉得，和小男人在一起，老年之后的生活也会丰富多彩的吧。

等我过了60岁，我想和他一起学习交谊舞。那些上了年纪的人，跳起华尔兹或者伦巴，不是很时髦吗！穿上金光闪闪的华丽舞蹈服装，青春洋溢。想到这些，觉得上年纪也不是什么坏事。

现在是女性活跃的时代，那些丧失了活力的老男人是跟不上我们的步伐的。他们只能在家里无所事事、郁郁寡欢。

如此看来，当然是强有力的小男人是最佳人选！

经济上有了依靠，更重要的是每天能在一起快乐生活。人的一生说起来很长，实际上也很短暂呢。

对于年老后的依靠，小男人比退休金更稳妥。

无限大的可能性

①注：北斗百裂拳，为《北斗神拳》游戏中的绝技之一。

和成长环境不同的人一起生活……
是人生一大收益！
独身生活的情况下，
24小时里考虑的都是自己的事。
啊哈 哈哈
我想看会儿书，他那里吵死了！
结婚之后就不能那样了！
还有，真的在一起生活了，
洗过的衣服还是晾得皱巴巴的……
就能发现对方很多细微之处的不同点。
能帮我洗衣服当然是好事。
可是——水池子周围洒得到处是水。
所以，如果对这些琐碎小事总是吹毛求疵的话，——
家庭生活很难融洽！
大眼鲸鱼
对两个人来说最重要的，就是要共同思考，找到妥协点。这是和谐生活的基本保证。
使劲！
妥协点
使劲拉
这样，就能记住自己哪些方面要忍耐、
也会对对方体贴入微了。
对这类小摩擦不要看成是负担，要以积极快乐的心情对待，
对30岁的职业女性来说，这应该是不难做到的！

老男人的知识和经验都要比自己丰富得多。
和他结婚后，要向他学习的地方很多。
思想已经很僵化。
极限
吱～……
实际上，他们大都已停止进步了！
一开始，还能从他身上学到不少知识……
渐渐地就能感到他江郎才尽了。
在这方面，与你结婚的小男人却恰恰相反！！
充满希望
小男人不成熟的地方还很多，
半～成～品
感觉就像老师指导学生。
橘子星人
在你摸索试探着教育孩子的方法时，
你也会从对方身上学到很多的东西。
生活本身会变得更加乐趣多多!!
实际上你们在一同成长着……
小男人就像海绵，
他们有着吸收一切的愿望，所以他们的可能性无限大！
全部吸收
所谓女人“生过孩子才算成年人”，已经是过时的观念。
现在是女人“培育起一个小男人才是成熟标志”的时代！！

以前我认为
和老男人交往就会成长。
其实，成长起来的只是小肚子上越来越厚的脂肪……

我认识我老公差不多十年了，和以前相比，我觉得他进步了不少。

最开始的时候，他做什么我都不放心，现在基本上任何事情我都交给他了。在讨价还价上，甚至我还比不上他。

我想，为什么说小男人很有趣呢，大概是因为，经过自己的精心培育，他的成绩超出了你的预期吧。小男人思想灵活，你教给他的知识都能很好吸收。我有时候会突然想到："什么时候他忽然变得如此成熟起来了？"

说起培养他，好像我挺了不起的，实际上，我从他身上也学到了很多东西。比如，对人的体贴，适度的忍让等等，我以前都不是做得很好。我一直认为，"只要对自己好就行了"。

不是很成熟的小男人虽然有时候把你气得不行，但是他们具有"促使你和他一起成长"的特点。

这不正是可以和教育儿童相匹敌的乐趣吗？

西川拓对小丈夫·小矢的采访报告⑥

切身感受到还是独身好！！

谢词

在这本书的制作过程中，我深切地感到了“绘本真的非常伟大”。通过绘本的魔力，竟然把这样客观的话题通俗而清晰地展现给广大读者。以此为契机，如果能让更多的人认识到和小男人结婚的好处，我将不胜荣幸。本书是“合作”的产物。首先要感谢把我精彩地刻画成丑角的漫画巨匠西川拓女士，还有为本书做出可爱而简洁设计的神崎梦见先生，还有协助我进行创意的编辑萱岛直先生，如果没有你们，这本书就不会诞生。

最后，我衷心感谢阅读本书，并珍爱小男人的广大读者。

叶石香　　2005年4月

谢词

首先我再一次感谢，无论被我画成多么滑稽可笑(表面上)也不生气的、内心无比宽容的叶石女士。还有对我使用糖块加鞭子的方式催稿的编辑萱岛先生，以及商谈时候经常被我抛在一边的设计家神崎先生，还有在艰苦的工作条件下担任助理工作的K小姐和K先生，我对你们表示衷心的感谢。我西川又回到一个普通女性的身份了。对了，还有容忍我一杯咖啡就耗上大半天的咖啡店的诸位，真心地道一声：对不起，非常感谢！以后我不会再添麻烦了(谎话)！

西川拓　2005年4月

1
2